LECTURES ELI POUSSINS

Jane Cadwallader

Tonton Jean
et l'arbre bakonzi

Illustrations de Gustavo Mazali

2 « Il y a la photo de mon ami le Roi Kambogo et de la forêt Nyungwe. Allons l'écouter ! » dit tonton Jean.

VENDREDI

Le Roi Kambogo parle de la forêt Nyungwe
et des animaux qui vivent dans la forêt.

Puis, il parle des hommes méchants qui veulent couper les arbres de la forêt pour faire pousser du thé. Des gens crient dans la salle « Nous devons aider la forêt ! » Mais deux hommes méchants écoutent le Roi Kambogo.

Un homme dit « Nous devons arrêter ce Roi Kambogo ! » L'autre répond « Donnons-lui ce médicament. Avec le mal d'estomac, il ne pourra pas parler à ces personnes de la forêt Nyungwe et nous, nous couperons les arbres pour faire pousser du thé ! »

La semaine suivante tonton Jean reçoit une lettre du Roi Kambogo. « Je dois aller voir mon ami le Roi Kambogo à l'hôpital ! » dit tonton Jean.

Mon cher tonton Jean,
Je suis à l'hôpital
Sainte Anne.
J'ai un terrible mal
d'estomac !
Viens me voir s'il te plaît.
À bientôt
Ton ami le Roi Kambogo

Dans l'après-midi, tonton Jean rend visite au Roi Kambogo. Le Roi Kambogo ne se sent pas bien ! « Je me sens très mal ! » dit-il. « Des journalistes viennent me parler de la forêt Nyungwe mais je ne peux pas leur parler. Je suis si faible ». Les hommes méchants sont derrière le rideau.

« Ah Ah ! » pensent-ils, « notre plan est parfait ! »

« Va dans la forêt Nyungwe et apporte-moi de l'écorce de l'arbre umusurirabakonzi. J'ai besoin de cette écorce pour guérir » dit le Roi Kambogo. Tonton Jean écoute, les deux hommes aussi écoutent. « Nous devons trouver cet arbre avant tonton Jean » disent les deux hommes très inquiets « et empêcher tonton Jean d'apporter l'écorce au Roi Kambogo ».

Tonton Jean met une carte, des sandwichs au fromage, un ananas et du thé dans un panier. Bien sûr, les enfants veulent partir avec lui !

Le chien Bouboule ne veut pas partir…mais il doit aider tonton Jean avec les enfants !

Tonton Jean dit « Nous allons en Afrique. Nous devons trouver un arbre umusurirabakonzi. »

« UN QUOI ? » demande Julie.

« Appelons-le simplement l'arbre bakonzi » dit Aude.

« D'accord » répond tonton Jean en riant.

« Nous pouvons trouver l'arbre bakonzi dans la forêt Nyungwe et cette forêt se trouve au Rwanda, en Afrique », dit tonton Jean.

« Oh ! » dit Alain, « c'est un chimpanzé ! »

« Un bébé chimpanzé ! » répond Aude. « Comme ils sont beaux ! ». « Grrrr ! » fait Bouboule.

Il a toujours pensé que seuls les oiseaux vivent dans les arbres. « Qu'est-ce que ces chimpanzés font dans un arbre ? Quels idiots ! » pense Bouboule.

«Venez ! Descendons ! » dit tonton Jean.

Ils voient une femme. « Bonjour » dit Julie
« Comment vous appelez-vous ? » « Je m'appelle
Winnie. Où allez-vous ? » demande la femme.

« Nous cherchons un arbre umusurirabakonzi. Le Roi
Kambogo est malade et il a besoin de l'écorce de cet
arbre. Vous pouvez nous aider ? » demande tonton
Jean. « Bien sûr ! » répond Winnie. « Venez avec moi. »

Les enfants s'amusent dans la forêt ! Julie et Aude se balancent d'un arbre à l'autre (et Bouboule essaie de les arrêter). Alain prend en photo des araignées, des serpents, des fourmis et des singes.

3 Dans la grande forêt verte
Qu'est-ce qu'on peut voir?
Des serpents et des fourmis
Des araignées aussi !

Dans la grande forêt verte
Qu'est-ce qu'on peut faire ?
Prendre des photos
Sauter d'un arbre à l'autre !

15

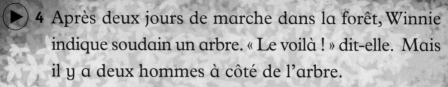

4 Après deux jours de marche dans la forêt, Winnie indique soudain un arbre. « Le voilà ! » dit-elle. Mais il y a deux hommes à côté de l'arbre.

Ce sont les deux hommes méchants. Ils ont une grande scie. « Oh non ! » crie Alain. « Ces hommes coupent notre arbre bakonzi ! » Alain se met à courir mais tonton Jean dit : « Arrête de courir et regarde ! » Tonton Jean sourit. Winnie aussi sourit.

Les hommes commencent à couper l'arbre mais arrêtent soudain. « BEURK ! D'OÙ VIENT CETTE MAUVAISE ODEUR ? C'est toi ? » demande un homme. « Non, ce n'est pas moi ! » répond l'autre « Si, c'est toi ! Oh non ! C'EST L'ARBRE ! Sauvons-nous ! »

Les hommes s'enfuient. Winnie rie « Ha ! Ha ! umusurirabakonzi veut dire l'arbre puant parce qu'il sent très mauvais quand on le coupe. » Les enfants rient aussi.

Tonton Jean coupe un morceau d'écorce, tout doucement.

Tonton Jean, Winnie et les enfants retournent vers l'arbre et la montgolfière. Ils sont fatigués et Bouboule est très en colère ! Il ne veut pas que Julie et Aude regardent les fleurs ou parlent avec les animaux ! Winnie regarde Bouboule.

« Il y a un arbre avec des chimpanzés ! » dit Julie.

« Salut les singes ! » crie Aude.

« Et il y a notre montgolfière » dit Alain.

Soudain, les deux hommes sortent de derrière un arbre. « Donnez-moi l'écorce. Ne la donnez pas au Roi Kambogo ! » dit un homme. Tonton Jean cache l'écorce derrière son dos.

Les chimpanzés lancent des fruits à un homme.
Winnie renverse son pot d'eau sur la tête de
l'autre. « Hourrah. Grimpons vite dans l'arbre ! »
crie tonton Jean aux enfants.

Tonton Jean grimpe dans l'arbre avec Bouboule. Winnie donne une feuille à Bouboule. « Au revoir Winnie. Merci beaucoup ! » dit tonton Jean. Aude et Julie serrent dans leurs bras les bébés chimpanzés. Ils leur disent merci.

Tout le monde crie « AU REVOIR ! » « Au revoir Winnie. Au revoir les chimpanzés ! » et ils s'en vont à bord de la montgolfière de tonton Jean. Les deux hommes sont très en colère.

Tonton Jean et les enfants vont voir le Roi Kambogo. Bouboule vient lui aussi. Le Roi Kambogo est très content. Il met l'écorce de l'arbre bakonzi dans de l'eau et boit ! Maintenant il se sent mieux. Il va pouvoir parler à la télévision et sauver la forêt Nyungwe !

« Merci ! Merci beaucoup ! » dit le Roi Kambogo.
« Juste une question » dit tonton Jean.
« Winnie a donné une feuille à Bouboule. À quoi sert-elle ? » Le Roi Kambogo regarde la feuille et sourit. « C'est contre le mal de tête … et les accès de colère ! »

5
Karaoké
en version
instrumentale

Jouons ensemble !

1 Observe les images de l'histoire.
Lis les phrases sur l'histoire. Écris avant
si l'action se passe avant. Écris après si
l'action se passe après.

1 Tonton Jean prend un morceau d'écorce. _après_

2 Ils rencontrent Winnie. _avant_

3 Les chimpanzés lancent des fruits aux hommes méchants. _____

4 Tonton Jean et les enfants vont au Rwanda.
_____

5 Alain prend en photo les animaux de la forêt.
_____

6 Les hommes méchants se sauvent. _____

7 Winnie indique le chemin pour arriver à l'arbre umusurirabakonzi à tonton Jean. _____

8 Tonton Jean, les enfants et Bouboule vont voir le Roi Kambogo à l'hôpital. _____

2 Trouve 3 mots dans le 1ᵉʳ arbre et 2 mots dans les autres arbres et complète la comptine..

🎵 Dans la grande f_ _ _ _ _ _ v_ _ _ _ _ 🎵

Qu'est-ce qu'on peut voir ?

Des s_ _ _ _ _ _ _ _ et des _ _ _ _ _m_ _ _

Des _ _ _ _ g_ _ _ _ _ aussi !

Dans la grande f_ _ _ _ t _ _ _ _ _ _ _

Qu'est-ce qu'on peut faire ?

Prendre des _h_ _ _ _ _.

Sauter d'un _ _ _r_ à l'autre !

3 Associe les bulles à la bonne personne.

Où allez-vous ?

Arrête de courir et regarde !

D'où vient cette mauvaise odeur ?

Salut les singes !

29

4 Conjugue les verbes à la personne demandée.

voir

Il ___voit___

courir

Nous _____

vouloir

Tu _____

mettre

Elle _____

donner

Vous _____

écouter

J' _____

regarder

On _____

sauter

Je _____

prendre

Elles _____

5 Choisis 5 verbes de l'exercice 4 et écris pour chaque verbe une phrase sur l'histoire.

1 _____

2 _____

3 _____

4 _____

5 _____

6 Écris les phrases.

1 JedoisallervoirmonamileRoiKambogo.

Je dois aller voir mon ami le Roi Kambogo

2 NousdevonstrouvercetarbreavanttontonJean.

_____

3 Ilsveulentcouperlesarbresdelaforêt.

_____

4 Leshommescommencentàcouperl'arbre.

_____

7 Imagine et dessine un arbre qui a un drôle d'aspect ou une odeur particulière. Invente son nom et décris-le.

C'est l'arbre _____. Il _____

_____

_____

_____

8 Aimes-tu cette histoire ? Dessine ton visage.

J'aime beaucoup cette histoire

J'aime cette histoire.

J'aime un peu cette histoire.

Je n'aime pas cette histoire.

_____